Don de Jacob et Benjamin
Fournier 2014

Le Roi Lion II, l'honneur de la tribu

FRANCE LOISIRS
123, boulevard de Grenelle, Paris

Aujourd'hui est un grand jour ! Le roi Simba et la reine Nala viennent d'avoir un lionceau. Rafiki, le vieux sorcier, prend le nouveau-né, le soulève, et, du haut du Rocher du Lion, le présente aux animaux de la savane.
« C'est une fille ! annonce Rafiki. Elle s'appelle Kiara. »
Une fille ? C'est impossible ! Timon la mangouste et Pumbaa le phacochère se regardent, abasourdis.
Ils n'avaient pas prévu ça !

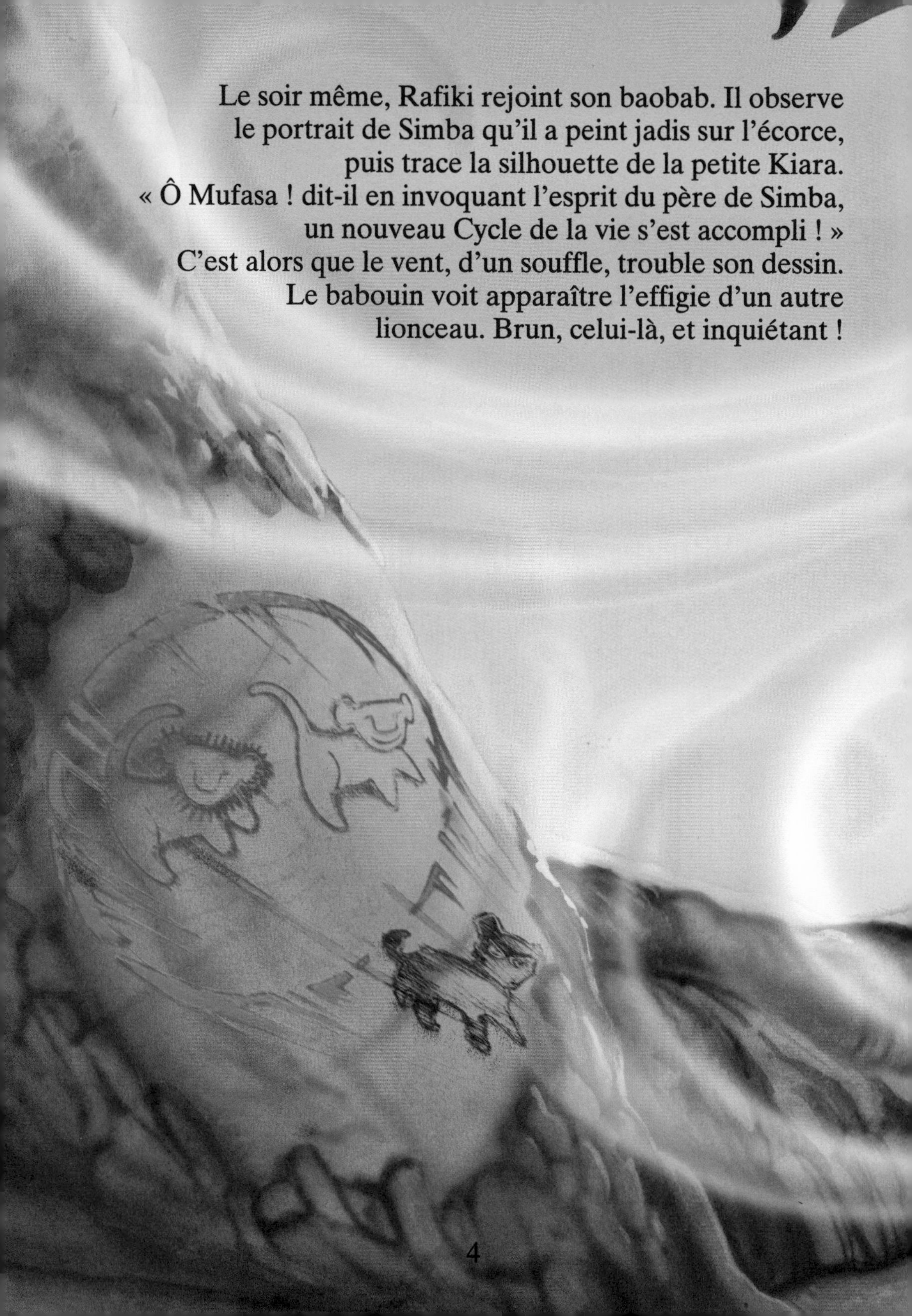

Le soir même, Rafiki rejoint son baobab. Il observe le portrait de Simba qu'il a peint jadis sur l'écorce, puis trace la silhouette de la petite Kiara. « Ô Mufasa ! dit-il en invoquant l'esprit du père de Simba, un nouveau Cycle de la vie s'est accompli ! » C'est alors que le vent, d'un souffle, trouble son dessin. Le babouin voit apparaître l'effigie d'un autre lionceau. Brun, celui-là, et inquiétant !

Au-delà de la frontière nord, où sont exilés les partisans de Scar, l'oncle de Simba, la lionne Zira prépare sa vengeance. Elle saisit son fils, Kovu, et le presse contre elle : « N'oublie pas que Scar, avant sa mort, nous a adoptés, lui rappelle-t-elle. Il t'a choisi pour être le prochain roi ! »

Zira voit accourir ses deux autres enfants, Nuka et Vitani.
De leur escapade secrète en Terre des Lions, ils lui
rapportent une nouvelle qui la comble de joie :
le nouveau-né de Simba est une fille !
« Entends-tu ? souffle-t-elle à Kovu, c'est une fille !
Seuls les garçons peuvent être rois ! »

Les mois ont passé et Kiara est impatiente d'explorer la savane. Elle tente, un matin, de s'écarter du Rocher du Lion. Tendrement, Simba la rattrape et la met en garde : « Ne t'aventure jamais seule hors de notre territoire car là-bas, tout est dangereux ! Je vais demander à Timon et Pumbaa de t'accompagner. »

Kiara est furieuse ; Timon et Pumbaa ne la lâchent pas une seule seconde et ils ne cessent de s'inquiéter :
« Tu n'as pas froid ?… Tu ne t'es pas blessée, au moins ?… Fais voir tes pattes !… »
De vrais pots de colle ! À présent, les voilà qui se disputent à propos de ce qu'ils vont manger pour le déjeuner. Larves gluantes ou insectes croustillants ? Dégoûtée, la jeune lionne décide de leur fausser compagnie.

Kiara gambade gaiement. Tout ce qu'elle découvre l'intéresse, l'amuse. Arrivée au pied d'une colline, elle tombe nez à nez avec un lionceau. Kiara se rappelle alors les conseils de son père et, prudente, fait quelques pas en arrière.

« Qui es-tu ? grogne Kovu.

– Je suis la princesse Kiara, fille du roi Simba.

– Peuh, ricane Kovu, tu n'es qu'une fille à papa !
Moi, je n'ai besoin de personne ! »
Et, sautant d'un rocher à l'autre, il avance dans
le marécage. Piquée au vif, Kiara le suit. Soudain,
les rochers se mettent à bouger. Ce sont des crocodiles
et ils ouvrent des mâchoires effrayantes...

À force de ruse et d'agilité, Kiara et Kovu échappent aux crocodiles. Ils se retrouvent sur la rive, tout essoufflés. Les deux lionceaux font connaissance et ne s'aperçoivent pas que Zira les observe, tapie dans les hautes herbes.
« Dis donc, tu es drôlement courageux ! dit Kiara.
– Toi aussi, tu n'es pas mal ! » répond Kovu, un peu embarrassé.

Les deux lionceaux ont à peine commencé à jouer que Simba surgit. Kiara redoute la colère de son père qui se dresse devant elle en rugissant. Zira sort alors de l'ombre…
L'occasion est trop belle. Elle ne peut la laisser passer.
« Simba ! » gronde-t-elle, en s'approchant, l'air mauvais.

Zira va attaquer, mais à l'instant où elle va se ruer sur Simba, l'arrivée de Nala, escortée de Timon et Pumbaa, l'en empêche. Flairant le danger, elle change aussitôt d'attitude. D'un air sournois, elle présente Kovu à Simba : « Voici mon fils ! Scar l'a désigné comme héritier ; il sera le prochain roi ! »

Simba comprend la menace qui pèse sur l'avenir
du royaume. Au moment de s'en aller,
il se retourne vivement vers Zira :
« Prends ton fils et va-t'en ! lui lance-t-il.
Nous en avons terminé ! »
Puis il saisit Kiara dans sa gueule et part.
« Oh non, Simba ! réplique la lionne avec rage,
tu te trompes, nous n'en sommes qu'au début ! »

Sur le chemin du retour, Simba s'arrête quelques instants pour sermonner sa fille : « Il faut que tu sois prudente, lui dit-il, car un jour je ne serai plus là pour te protéger ! Tu devras alors prendre ma place et devenir reine ! »

Pendant ce temps, sur les terres arides, Vitani s'aiguise les crocs sur une racine desséchée. Elle voit son frère Nuka s'approcher avec nonchalance :
« Sais-tu où est Kovu ? lui demande-t-elle.
– Je n'en sais rien ! Il doit apprendre à se débrouiller tout seul. C'est chacun pour soi, ici !
– Tu as tort, rétorque Vitani, maman va être furieuse, elle t'avait dit de le surveiller ! »

Vitani a raison. La colère de Zira est terrible. Après avoir corrigé son fils aîné pour lui avoir désobéi, elle rattrape Kovu qui tente de lui échapper.
« Ainsi, tu voulais devenir l'ami de Kiara ? ronronne-t-elle, subitement songeuse.
La fille de Simba ! Quelle brillante idée !
Je suis fière de toi ! »

Zira emporte Kovu dans les profondeurs de son antre et le dépose au creux de la souche qui lui sert de trône. Elle est sûre de son avenir, à présent. « Dors, mon petit prince, lui chante-t-elle pour l'apaiser. Un jour, quand tu seras grand et fort, tu seras roi ! »

Les saisons ont passé. Dans son baobab, Rafiki observe les portraits des lionceaux.
Il est inquiet de la tension entre les clans de Simba et de Zira.
Dans le vent qui tourbillonne, il entend la voix de Mufasa, et ne veut pas y croire : Kovu et Kiara, ensemble ? C'est impossible !

Pendant ce temps, dans son repaire, Zira considère son fils. L'allure altière, le regard dur, il est tout ce qu'elle attendait de lui.
« Bien ! Très bien ! se réjouit-elle, satisfaite. Tu es prêt pour mon plan ! Répète une dernière fois ce que tu dois faire.
– Venger Scar, tuer Simba et prendre sa place ! » déclare-t-il comme un automate.

Sur le Rocher du Lion, tout le monde est rassemblé car, pour la première fois, Kiara part chasser seule.
Comme d'habitude, Timon et Pumbaa exagèrent leur émotion et s'étreignent en sanglotant.
Quant à Simba, il couve sa fille du regard.
« Père, tu as promis de me laisser me débrouiller toute seule ! lui rappelle-t-elle.
– C'est entendu ! » lui répond Simba.

À peine Kiara est-elle hors de vue, que Simba regrette sa promesse. Il ne peut supporter l'idée que sa fille courre le moindre danger. Quand tout le monde est parti, il convoque Timon et Pumbaa.
« Suivez-la discrètement, et assurez-vous qu'elle ne se blesse pas », leur souffle-t-il.
Timon lève son pouce : message reçu !

Bien entendu, Timon et Pumbaa sont si peu discrets qu'ils se font vite repérer. La jeune lionne est surprise mais elle ne croit pas aux explications embarrassées de Timon.
« C'est mon père qui vous envoie ! s'écrie-t-elle.
Il m'a menti ! »
Et, furieuse, elle s'enfuit, semant ses compagnons.

Entre-temps, Zira exécute son plan. Elle envoie Nuka et Vitani mettre le feu à la savane. Lorsque Kiara s'en aperçoit, il est déjà trop tard. Les flammes l'encerclent, la fumée l'étouffe. Elle suffoque, puis s'évanouit. À quelques mètres d'elle, dans la fournaise, Kovu apparaît. La voyant inanimée, il s'approche et la charge sur son dos…

Kovu gagne péniblement le marécage le plus proche et y jette Kiara. Quand elle reprend connaissance, la jeune lionne est folle de rage. Qui est cet inconnu qui prétend lui avoir sauvé la vie ? Et pourquoi l'a-t-il amenée ici ? Pour toute réponse, Kovu la rejoint dans l'eau et, comme par jeu, il l'immobilise. Kiara, soudain le reconnaît.
« Kovu ! Comme je suis contente de te revoir ! »

C'est alors que Simba, alerté par le feu, surgit, prêt à bondir.
Rafiki, le vieux sage, intervient aussitôt :
« Arrête, Simba ! Kovu a sauvé ta fille ! »
Profitant de la situation, le jeune lion annonce :
« J'aimerais faire partie de votre clan !
– Ta famille a été bannie, répond Simba, mais puisque j'ai une dette envers toi, tu peux rester provisoirement.
Nous verrons bien si tu es sincère ! »

Kovu les suit jusqu'au Rocher du Lion, mais Simba est méfiant et lui interdit de dormir dans son antre !
Le voyant seul au-dehors, Kiara le rejoint.
« Merci de m'avoir secourue.
– Pff ! Seule dans la savane, tu ne tiendrais pas trois jours !
– Puisque tu es si malin, tu n'as qu'à m'apprendre, répond Kiara, vexée. Rendez-vous demain à l'aube. »

Tandis que Kovu et Kiara se séparent, Nuka et Vitani les observent.
« Regarde-le ! s'emporte Nuka. Il la laisse partir !... Si c'était moi, je l'aurais tuée tout de suite !
– Imbécile ! Ça aurait tout fait rater ! le rabroue sa sœur en lui flanquant un coup de patte. Pour avoir le père, il faut bien qu'il se rapproche de la fille. Et Simba ne perd rien pour attendre... »

Tard dans la nuit, Simba est en proie à un horrible cauchemar. Il revit, impuissant, la mort de son père. Mufasa est agrippé à la paroi rocheuse. Il appelle au secours, mais Scar, à coups de griffes, le précipite dans le gouffre. C'est alors qu'à la place de Scar apparaît Kovu ! Simba voit son sourire diabolique... Épouvanté, il se réveille en sursaut.

Le soleil vient de poindre à l'horizon. Comme chaque matin, Simba part seul inspecter son royaume. À l'affût, dans l'ombre, Kovu le guette, prêt à l'attaquer, quand Kiara, surgissant derrière lui, le fait sursauter.
« Bonjour ! lance-t-elle joyeusement. Je suis prête pour ma leçon de chasse ! On y va ? »

À contrecœur, Kovu entraîne son élève dans la plaine. Prenant le rôle du gibier, il attend qu'elle vienne le débusquer. Mais Kiara a beau s'appliquer, elle manque sa cible et roule à terre.
« Tu m'as entendue arriver ? demande-t-elle.
– Oui ! répond Kovu. Tu respires encore trop fort ! »

En chemin, Kovu et Kiara rencontrent Timon et Pumbaa qui cherchent des vers de terre. Une nuée d'oiseaux leur fait concurrence. Timon, furieux, se lamente :
« Ce n'est pas possible ! Bientôt, il faudra réserver sa place ! »
Kiara s'élance alors au galop pour effrayer les oiseaux.
« Tu t'entraînes ? demande Kovu.
– Mais non, gros ballot, c'est juste pour rire ! »
Kovu se laisse gagner par l'enthousiasme et charge les oiseaux en rugissant très fort.

La petite troupe s'engage ensuite dans une gorge.
Soudain, un nuage de poussière, droit devant, oblige
tout le monde à faire demi-tour.
Une horde de rhinocéros va les écraser...

Épuisés, hors d'haleine, les quatre amis
se réfugient derrière un bloc de pierre.
Soulagés d'avoir échappé au danger,
ils tentent de reprendre leur souffle.
« Décidément, je déteste les rhinocéros ! »
s'exclame Timon.
Kovu se serre contre Kiara et lui sourit.
Une impression de bien-être l'envahit.
Un sentiment très doux que sa mère ne
lui a jamais appris...

La nuit est tombée et Kiara invite Kovu à s'allonger dans l'herbe pour regarder les étoiles.
« Avec mon père, nous faisons souvent cela ! dit la jeune lionne. Il paraît que les grands rois du passé veillent sur nous, là-haut dans le ciel ! »
Kovu est troublé.
« Crois-tu que Scar y est aussi ? » murmure-t-il malgré lui.

Depuis la colline voisine, Simba surveille sa fille. Il la voit se rapprocher tendrement de Kovu. De toute évidence, elle est éprise de lui. Simba est inquiet. Il lève les yeux vers les étoiles. En cet instant, il aimerait que son père, Mufasa, lui vienne en aide. Nala s'approche de lui :
« Oh, mon Simba ! lui dit-elle, pourquoi n'essaies-tu pas de mieux connaître Kovu ? »

Au son d'une douce musique, Rafiki entraîne les deux jeunes lions dans un monde irréel.
« Où sommes-nous ? s'inquiète Kovu.
– Quelque part dans votre cœur », répond Rafiki en riant.
Aussitôt, Kiara et Kovu prennent conscience de leur amour.

À leur retour sur le Rocher, Simba permet à Kovu de passer la nuit dans son antre. Le jeune lion accepte avec joie. Tapie dans l'ombre, Vitani enrage. Elle ne comprend pas l'attitude de son frère. Furieuse, elle file tout raconter à Zira qui réagit violemment :

« Non ! Kovu ne peut pas nous trahir !

– Maman a raison ! siffle Nuka. Il faut juste forcer la main à notre petit frère ! J'ai un plan ! »

Le lendemain matin, Simba entraîne Kovu sur les terres brûlées, et lui parle de Scar :
« Il était comme le feu, lui explique-t-il. Il n'a pas su dominer sa haine, et elle l'a détruit ! »
Kovu est troublé. Ce n'est pas ce qu'on lui avait raconté. Pourtant, il est sûr que Simba a raison. Il va se confier à lui quand, surgissant de toutes parts, Zira et ses lionnes les encerclent...

Simba comprend alors qu'il est tombé dans un piège. Certain que Kovu en est l'artisan, il s'échappe en sautant dans un ravin. Mais un amas de troncs d'arbres bloque la sortie. Pour se sauver, Simba doit l'escalader. Il plante ses griffes dans le bois pour assurer son ascension. Lancé à ses trousses, Nuka est sur le point de le rattraper. « Regarde, Zira, lance-t-il à sa mère, je vais le tuer ! C'est pour toi que je le fais ! »

Simba a déclenché une avalanche de rondins en parvenant au sommet. Nuka est écrasé. Zira s'approche et lui soulève la tête pour recueillir son dernier soupir. Puis, folle de rage, elle se précipite sur Kovu et lui donne un violent coup de patte : « Toi ! hurle-t-elle, à cause de ta faiblesse, Nuka est mort, et tu nous mets tous en danger ! Va-t'en et ne reviens jamais ! »

Kovu a choisi son camp. Il retourne au Rocher du Lion. Mais l'accueil qu'il reçoit en arrivant n'est pas celui auquel il s'attendait. Une foule d'animaux en colère se presse autour de lui, tandis qu'il s'avance.
Au pied du Rocher, Simba l'arrête :
« Tu n'es pas digne d'être des nôtres et puisque je dois décider de ton sort, je te condamne à l'exil ! »

Persuadée que Kovu n'a pas trahi, Kiara intervient avec courage auprès de son père.
« Papa ! tu te trompes. Kovu m'aime et je l'aime. »
Simba ne l'écoute pas et déclare :
« Je t'interdis désormais de quitter le Rocher du Lion et de sortir seule sans escorte. Tu as bien compris ? »
Dégoûtée, furieuse, Kiara se glisse discrètement hors de la grotte et part à la recherche de Kovu.

Lorsque Kiara le rejoint à la nuit tombée, Kovu se réjouit de voir qu'elle croit toujours en lui. À la lueur de la lune, il lui montre leurs reflets qui s'assemblent dans l'eau d'une mare. « Regarde, murmure-t-il, nous ne faisons qu'un ! » Kiara reprend alors espoir. Tout s'arrangera s'ils retournent au Rocher du Lion...

Tandis que Kovu et Kiara se mettent en route sous une pluie battante, Simba reçoit un message alarmant de Zazu, son fidèle secrétaire :
« Sire ! annonce l'oiseau tout essoufflé, les Hors-la-loi vont nous attaquer, ils arrivent ! C'est la guerre !
Simba ordonne aussitôt que les lionnes se rassemblent et se préparent à se battre.

Sous un ciel d'orage zébré d'éclairs, les deux camps se font face. Zira souffle avec force pour se donner du courage.
« Nous y voilà, Simba, gronde-t-elle, j'attends cet instant depuis des années ! »
Simba reste calme. Il tente une dernière fois de la raisonner :
« Abandonne, Zira ! Rentre chez toi ! »
Mais la lionne rebelle donne l'ordre d'attaquer.

Zira et Simba s'affrontent dans une lutte mortelle. Dès qu'ils arrivent sur le champ de bataille, Kovu et Kiara s'interposent.
« Père, il faut arrêter cette guerre, dit Kiara. Regarde-les, ils sont comme nous ! »
Kovu, de son côté, maîtrise sa mère qui se débat farouchement.
« Tant que je serai là, gronde-t-il, tu ne blesseras ni Simba ni Kiara ! »

Folle de haine, Zira se dégage de Kovu. Elle se rue sur Simba, mais son élan est arrêté par Kiara ! Les deux lionnes roulent jusqu'au bord d'un gouffre. Zira perd l'équilibre et se raccroche de justesse à la roche.
« Donne-moi ta patte, je vais t'aider ! la supplie Kiara.
– Non ! Plutôt mourir que vivre en vaincue ! » répond Zira en disparaissant à jamais dans le ravin.

Quelques jours plus tard, les Hors-la-loi rejoignent le Rocher du Lion pour se rallier au roi Simba. Et tous ensemble, ils assistent à l'union de Kovu et Kiara, célébrée par Rafiki.
« Je n'ai jamais rien vu d'aussi beau ! s'exclame Zazu, en se couvrant les yeux de ses ailes pour ne pas montrer qu'il pleure...
– J'adore ces moments-là ! » soupire Pumbaa, très ému.

Tandis que Simba et Nala se tiennent fièrement auprès de Kiara et de Kovu sur le Rocher du Lion, une voix grave résonne dans le vent. C'est Mufasa :
« Tu as agi sagement, mon fils ! Nous ne formons plus qu'un seul peuple désormais... »

Une Édition du Club France Loisirs, Paris, avec l'autorisation de The Walt Disney Company.
Imprimé en France par Aubin
N° d'éditeur 31343 -
Dépôt légal : Mars 1999
ISBN : 2-7441-2307-2
Loi n° 49-956 du 16 juillet 1949 sur les publications destinées à la jeunesse.